愿望售卖机

数学学霸眼镜

〔日〕山口道◎著　　〔日〕高井喜和◎绘　　吴鑑萍◎译

富士山
高3776米

北京科学技术出版社
100层童书馆

小朋友，你听说过能帮人实现愿望的自动售卖机吗？

它能像火箭一样飞来飞去，卖的都是能帮人实现愿望的神奇商品，比如可爱动物多奇妙帽子、请假许

可证、深海漫步乘车券、可口午餐粉、蝙蝠侠披风、

只赢不输手套……

商品应有尽有。

你的愿望是什么呢?

什么？想体验心惊胆战的感觉？

想成为明星？

想轻松解出数学难题，成为班里的数学之星？

"无论你有什么愿望，都可以大胆说出来！能帮你实现愿望的火箭商店，现在开始营业！"

目录

冷火灯

胆小鬼的夜晚

悠平是个胆小鬼，却很喜欢惊险刺激的故事。他也说不清这是为什么，大概和那些喜欢在游乐园里坐着过山车尖叫的人抱着同一种心理吧。

　　悠平和智树是同班同学，还住在同一个小区，爱好也相似。今天，他们在智树家一起看了一部电影，俩人都吓得心怦怦直跳，却都很开心。

　　"前不久，我去乡下扫墓的时候，"看完电影后，智树忽然说，"看到了……"

"看到了什么？"

"一团青色的火焰！那天晚上，这团火焰从一片漆黑的田地上飘了过去！然后，飘来飘去……"

"真……真的吗？"

"嗯，真的！我吓得一路狂奔到奶奶家，心脏怦怦乱跳。真的超级可怕！"智树一脸心有余悸地说。

"你看到的不会是萤火虫吧？"

"不是！那团青色的火焰很大，萤火虫的光点可没那么大。"

每次听智树讲他的奇妙经历，悠平惊叹的同时都有一些失落。

因为这样神奇的经历，悠平一次也没有过。

智树经常给悠平讲自己遇到的趣事，

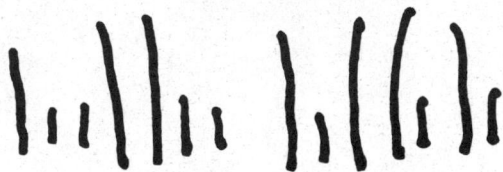

比如看见不明飞行物从公寓楼顶上方飞过，在去补习班的路上听到桥洞里传出哭声。

悠平从没遇到过外星人或怪物。迄今为止，他遇到的最可怕的事情是什么呢?

是去年圣诞节，爸爸吃炸鸡的时候被噎着了，用尽全力才把卡在嗓子眼的东西吐了出来。

他好想看看飘来飘去的火焰啊。

从智树家出来后，悠平一直在想这些事情。他

穿过小区广场时，无意中看到角落里有一台机器。那台机器矮矮胖胖的，形状很奇特。

虽然已近黄昏，但是广场上依然亮堂。

不可思议的是，机器所在的角落十分阴暗，阴暗得像最黑的夜晚降临了。机器上的两盏圆灯，像两只蓝色的眼睛一样，闪烁着光芒。

悠平心想，刚才来的时候，怎么没有发现这台机器呢？悠平正要离开，突然听到一个声音。

嗡……

他惊讶得停下了脚步。紧接着，四周响起了敲击木器的节拍声。

梆咚，梆咚，梆咚，梆咚，梆咚，梆咚……

之后，一个低沉的声音响起："来吧，来吧。喜欢新奇刺激事物的孩子，来吧，来吧。"

叮……

悠平起了一身鸡皮疙瘩，他紧紧盯着那台机器，感觉那两盏蓝色的圆灯也在凝视自己。

"小朋友，过来呀。"

呜哇——

悠平害怕极了。他的心跳不断加速，快得好像心要蹦出来了。他想马上逃离这里，双腿却不听使唤地颤抖着，脚步变得像机器人的一样生硬而缓慢。就在他心急如焚的时候……机器声音的风格忽然变得

小朋友，
过来呀。

和刚才完全不同。

噼噼啪啪，噗噜噗噜，嗒啦嗒啦，轰轰轰——

节日游行般欢快的歌声响起，热闹而喜庆。那个阴暗的角落一下子亮堂起来，机器发出金色的光芒，说话的声音也变得明快起来。

"嘿，欢迎光临！想寻找刺激让自己开心吗？想拥有奇妙的体验吗？本店有各种可以给你刺激感的商品，物超所值，快来选购吧！"

悠平心想：我还以为是什么东西呢，原来是卖吓人商品的自动售卖机啊！吓我一跳，不过听上去挺有趣的嘛。

"如果这些商品把你的好朋友吓得尖叫不止，敬请原谅！"

当悠平走近，自动售卖机那眼睛般的圆灯闪了闪，它似乎在兴奋地眨眼，下面的小窗嗡的一声向左右两侧打开了。

"欢迎光临！你的愿望是什么呢？这里是能帮你实现愿望的火箭商店。请你慢慢选购。"

自动售卖机的窗口里陈列着一些看起来很吓人的商品：

木偶鼻子、木乃伊绷带、虎纹披风、黑猫帽子。

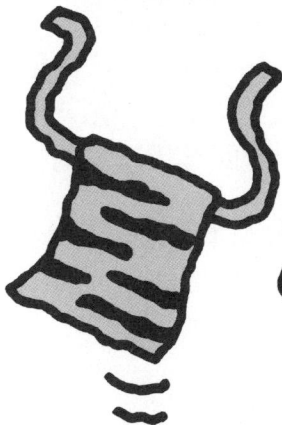

"嘿嘿嘿！害怕了吗，胆小鬼？"

悠平虽然胆小，但也不愿意被一台自动售卖机如此调侃。

"这些商品也没什么了不起的，还没车站前的玩具店卖的万圣节玩具可怕呢！"

悠平话音刚落，自动售卖机上的那两盏圆灯便像猫的瞳孔那样变成了一条线，它发出愤怒的吼声：

"我的商品可不是玩具！"

"你卖的不是玩具，难道是真的东西吗？"

"是的。"

自动售卖机骄傲地回答道，两盏圆灯又变回了圆圆的样子。

"比如这顶黑猫帽子……"

自动售卖机话音刚落，一顶形状奇怪的帽子就从出货口掉了出来。悠平拿起帽子，摸了摸帽檐。忽然，帽顶动了动，发出一声"喵"。

悠平吓得差点儿把帽子丢出去。"这是什么？"他大声问道。

"黑猫帽子可以变成真正的猫，你买了它，除了把它戴在头上，还可以用它来表演魔术。"自动售卖机兴致勃勃地说。

"但是我一点儿也不喜欢在大家面前表演。"悠平兴致缺缺。

"那这卷木乃伊绷带呢？你只要用它把自己一圈一圈地缠起来，不管你之前多胖，都能立刻变瘦。把它作为生日礼物送给你的妈妈怎么样？"

"好像是个不错的主意。"

看见悠平微笑起来，自动售卖机继续说："不过，这种绷带使用时要注意时间，不能在身上缠太久。太瘦可不是什么好事。"

悠平听完立刻婉拒道："啊，我忽然想起来，我妈妈的生日才刚刚庆祝过。"

悠平看到自动售卖机的窗口里还有不少商品：

变形镜、咬人吸管、冷火灯、悲鸣箫。

悠平的目光落在冷火灯上，他想起了智树给他讲过的青色

火焰，于是问道：

"冷火是什么？"

"冷火，顾名思义，就是没有温度的火焰。冷火灯并不吓人，我想你应该不会满意。你不如选择这款悲鸣箫，无论什么曲子，用它一吹，听起来都很悲伤。"

随后，自动售卖机里传出悲伤的箫声。

悠平慌忙说："没关系。我很好奇冷火是什么样子的。"

他从钱包里找出一枚五百元[1]硬币，从投币口投了进去，然后按下了按键。

"冷火灯是你的啦，感谢惠顾。"

一个笔形手电筒从出货口掉了出来。它闪着黑色的光泽，有点儿重，大小正适合悠平握在手中。不过，它的顶端没有玻璃罩，是敞口的，里面幽黑一片。

1　本书中的货币单位"元"均指日元。——编者注

这里面会喷出火焰吗？

悠平不由得笑了起来，想到了同样喜欢刺激体验的好朋友智树。

要是把遇见自动售卖机的事情告诉智树，他一定很感兴趣。

"能帮你实现愿望的火箭商店，期待你下次光临。"

悠平将冷火灯放进书包，又向智树家走去。身后的自动售卖机里传出敲鼓般的响动。

悠平想，大概又来了一个和自己一样胆小的顾客。

片刻后，他听到轰隆一声，好像是烟花发射的声音。

这次又卖出了什么？一定把顾客吓坏了。

悠平气喘吁吁地爬着楼梯，正好碰到了准备去补习班的智树。悠平大口大口地喘着气，给智树讲了那台神秘的自动售卖机的事情。

即使隔着镜片，悠平也感受到了智树眼中流露出的怀疑的目光。

"你说的是真的吗？不可能吧。"智树跟在悠平身后，两人一起匆匆地跑向广场。

"咦？不见了。到哪儿去了？"

悠平环视了好几圈，寻遍了广场的各个角落，还是没有发现自动售卖机的踪影。那台矮矮胖胖的自动售卖机到哪儿去了呢？

"我就觉得不对劲嘛，怎么会有那种事呢？"智树夸张地叹了一口气。

就在这时，远方的天空传来了自动售卖机那奇怪的歌声。悠平抬头望向天空，只见一个闪烁着金色光芒的光点，拖曳出一道"飞机云"。

"你瞧，那就是我说的自动售卖机！"悠平指着

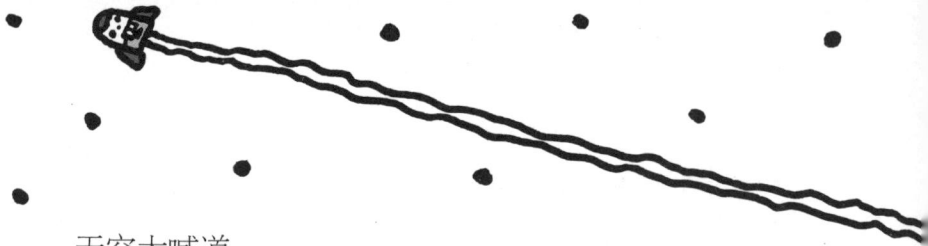

天空大喊道。

智树却突然变了脸色。

"那是飞机吧。别开玩笑了！害得我上补习班都要迟到了！"

"对不起！但是我真的亲眼看到了。"悠平小声说道。

智树眼神一变，坏坏地说："哼！悠平，不会是因为我说我看到了一些奇特的东西，你不甘心吧？毕竟你从没亲眼见过什么可怕或奇特的东西。"

悠平咬着嘴唇沉默不语。

"就算撒谎也撒得高明一些啊！"

悠平明明没有撒谎！他刚要反驳，忽然想起自己买的冷火灯还没用过，正好可以拿来证明一下。

他拉开书包拉链，从里面翻找出冷火灯。

"我没骗你！这就是我从那台自动售卖机里买的东西。"

悠平挥了挥手中的冷火灯。

"这是什么？"智树表面一脸不屑，但难掩兴致。

"这是一个手电筒……但它可不是普通的手电筒，它叫冷火灯。"

悠平想打开冷火灯，却怎么也找不到开关。

他拧来拧去，转来转去，挥来挥去……想尽了办法，冷火灯却怎么都不亮。

"怎么办呢？"

最后智树都看不下去了，说：

"没放电池吧？给我！"

智树从悠平手中夺过冷火灯，目不转睛地盯了一会儿，然后朝顶端的黑洞里望去。

呼呼呼……

就在这时，黑洞里喷出了青色的火焰，火焰照亮了智树的头。

之后，火焰晃动了一下，围着智树飞来飞去。

"怎么样，我没有骗你吧？"悠平得意地抬了抬下巴。

可智树非但没有兴奋，反而像幼儿园的小朋友一样放声大哭起来，然后一路狂奔着跑开了。

"妈呀……救救我……呜呜……"

悠平傻傻地站在原地。青色的火焰从智树身边离开，回到悠平面前，缓缓摇晃了起来，说：

"不要怕！我一点儿都不烫。"

火焰伸出"触手"，抚摸着悠平的脸颊。

真的，一点儿都不烫。

它看起来很兴奋，忽大忽小地自由变换着。

"我好久没这样吓到人了，这年头几乎没人怕我了。我也该动动脑筋好好想想什么地点和时机出来吓人合适。"

它说话的语气有点儿像隔壁的阿姨。

"所以，我希望你等天黑之后再找我……明白了吗？"

悠平点了点头说：

"嗯，我知道了，要在晚上找你！"

"谢谢。"

火焰笑了起来，消失在黑色的笔形手电筒中。

悠平认真地观察了一会儿手里的冷火灯，开心地回家了。

吃晚饭时，悠平问：

"爸爸妈妈，迄今为止你们遇到过的最可怕的事情是什么？"

妈妈回想了一会儿说：

"有一次湿抹布堵住了雨水管道，地上积了好多水。我放在地上的纸箱全都被浸湿了，里面装的可是我辛辛苦苦收藏的书。"

悠平心想，这明明一点儿都不可怕，但还是嗯嗯地点头，说：

"不是这种，我想说的是遇到怪物或者外星人之类的……"

悠平说着瞥了一眼桌子上的冷火灯。

妈妈笑了起来，说："世界上根本没有鬼怪，那些东西不过是人们想象出来吓唬自己的。对吧，孩子他爸？"

"那……那当然。"

吃完饭，和爸爸独处时，悠平小声问："爸爸，你见过青色的火焰吗？"

爸爸压低了声音说："见过。以前这一带有一片杂树林，到了晚上里面一片漆黑，路过的人偶尔会看到青色的火焰在空中飘荡。"

爸爸回忆起孩提时代的事情，不禁打了个冷战。

"爸爸，你觉得现在还有这种火焰吗？"

"怎么说呢，现在建了这么多的小区、便利店……到处都亮堂堂的……应该没有了吧。"

悠平看着爸爸略显遗憾的神情，差点儿笑出声来，但拼命忍住了。

"喂，小家伙，难道你见过？"爸爸咽了一口唾沫。

这时，厨房里传来了妈妈的声音："这是什么？新文具吗？刚买的？"

妈妈拿着细长的笔形手电筒，目不转睛地盯着。

"啊！危险！"悠平从沙发上跳起来，冲进厨房。

"以后不许买危险的东西！"

"这只是强光手电筒，不过光照到眼睛就不好了。"

悠平找了个借口，让妈妈把冷火灯还给了自己。

好险！再晚一步，那团青色的火焰可能就要从手电筒里出来了，妈妈一定会吓一跳。悠平长舒了一口气。

他看了看窗外，外面一片漆黑。

悠平决定还是下次再吓爸爸，他准备先去看看智树。他给智树家打了个电话，电话是智树妈妈接听的。智树妈妈说，智树去补习班还没回来。

悠平松了一口气。

补习班差不多要下课了。

"我去一下智树家，一会儿就回来。"

"天色暗了，注意安全。"

"没关系，我有这个。"

悠平挥了挥手里的冷火灯，跑下了楼。

悠平并没有去智树家，他打算直接去智树上补习班的地方。

在外面方便两个人单独说话，也方便给智树看冷火灯。

走到昏暗的广场，确定四周空无一人之后，悠平伸长右臂，尽可能让冷火灯离得远些，然后说："出来吧，火焰！"

灯的顶端倏地冒出了青色的火光，伴随着嘭的一声，一团火焰从灯里跳了出来。

"出……出来了！"悠平脚下一软，不由得后退了两步。

黑暗中，青色的火焰轻轻晃动着说："不是你自己叫我出来的吗？现在我出来了，你又吓成这样，真是个十足的胆小鬼。"

说完，火焰嗖的一声消失在了冷火灯里。

冷火灯没有开关，火焰好像可以随意进出。这也是没有办法的事情，毕竟它是一团神奇的火焰。

路上的灯光很亮，悠平放下心来。天上，圆圆的月亮静悄悄地穿梭于云隙间。

前面就是电车的轨道了。要去智树上补习班的地方，就必须穿过轨道下方的桥洞。街道被路灯照得亮堂堂的，桥洞里却一片漆黑。

悠平的心扑通扑通地越跳越快。

"智树说，他曾经听到这里有哭声……"

悠平小声嘟囔着，火焰从灯里嗖地飞了出来，照亮了轨道下方的桥洞。

"啊，谢谢。"

青色火焰在周围转了一圈后说："这里没什么异常啊……咦，那边的公寓里怎么有个奇怪的黑影？！"

桥洞出口的对面，一个胖胖的黑影映在一户人家的窗上。接着，窗户里传来一阵声音，那声音像被勒紧脖子的鸡发出来的一样。

"看来有人在练习唱歌，但这歌声也太糟糕了，听起来像是在哀号。"

"嗯，确实如此。"

看来，这就是智树听到的神秘哭声。

悠平穿过桥洞后，火焰便消失了，真方便。

前方是一家便利店，里面亮着灯。便利店后有一家小小的培训机构，智树就在这里补习功课。现在是晚上八点，以往这个时间，悠平已经洗完澡，在快乐地看电视了。智树才上小学四年级，就必须每天来补习班学习，真不容易啊！

悠平沿着漆黑的道路往前走，突然看见智树站在便利店前面。

悠平高兴地想：啊，智树已经下课了，真是太好了。但情况似乎有点儿不对劲，智树看起来怪怪的，他的侧脸显示出一副欲哭无泪的样子。

几个小学六年级的孩子坐在智树面前，凶神恶煞般地瞪着他。他们那蛮横粗鲁的样子，让人不由得害怕。

周围非常安静，他们几个愤怒的声音清晰地传了过来。

"你说你被青色的火焰袭击了？你骗谁啊？！"

一个胖胖的男孩一边大口嚼着面包，一边瞪大眼睛说："上次你还骗我们说你发现了不明飞行物。"

他旁边的男孩抚摸着蜷在膝盖上的流浪猫，连连点头。

智树肯定在补习班上将青色火焰的事情夸张地讲了一番。

另一个男孩咬了一口手里的香肠说："还说什么有能帮我实现愿望的自动售卖机，简直是胡说八道！"

之后隐约传来智树胆怯却又不甘心的声音："我说的都是真话！"

那几个六年级的孩子生气了，站起来怒吼道："别嘴硬了，你这个狂妄自大的家伙！"

如果是以前，悠平必定害怕得不敢站出来，或者早就偷偷溜走了。

可是这次，等悠平反应过来时，他已经紧紧握着冷火灯，勇敢地站出来了。

"智树……"

"啊，悠平！"

一颗大大的泪珠从智树脸上滑落下来，智树无声地倾诉着满腹的委屈。

"那我就让你们见识一下。"

那几个六年级的孩子一起看向悠平，嘲笑他说："来呀！快给我们瞧瞧！"

悠平对智树点了下头，拿出了细长的冷火灯。

那几个六年级的孩子露出了惊讶的神色。

"出来吧，火焰！"

呼啦……

一团青色的火焰闪着光晃晃悠悠地浮现在大家眼前。

悠平原以为这几个六年级的孩子会吓得惊慌失措，大声尖叫……没想到他们却露出了好奇的神色。

那个胖胖的孩子说："这用的不就是 3D 显示技术嘛！我在科技馆看到过。"

他站起来，将手指伸进青色的火焰中，大声说："瞧，一点儿都不烫手。"

他还用手指在青色的火焰里面搅来搅去。火焰急了，慌慌张张地飘来飘去，摇摇晃晃地来回逃窜。

"确实很亮。不过，我的强光手电筒更厉害！"

另一个孩子一
边说着，一边从包里
拿出一支迷你手电
筒，并打开了开关。

LED 灯耀眼的
白光盖过了火焰的
青光。火焰仿佛眩晕了一样左摇右晃了几下，逃也似
的一溜烟钻进了悠平手中的手电筒里。

输……输了。

智树失落地低下了头。那几个六年级的孩子在
一旁笑得前仰后合。

冷火灯在悠平的手里猛烈颤抖。

悠平觉得火焰很可怜，便问它："你还好吗，
火焰？"

就在悠平轻声问候火焰的时候，原本灯火通明

的便利店突然停电了，街上的路灯也一下子全灭了。LED 灯原本耀眼的光芒也陡然微弱得如同烛光，最终也熄灭了。

漆黑的夜幕笼罩了四周。

六年级的那几个孩子的笑声不知不觉地消失了。令人发毛的阴森笑声在四周回荡起来。

黑暗中，愤怒的苍白色火焰在空中熊熊燃烧。

地面上泛起青色的光芒，飘浮起许多青色的火焰。

那几个六年级的孩子脸色大变。

火焰们兴高采烈地摇晃着，轻轻地飘了过来。

一团火焰逼近了拿着香肠的孩子。那根香肠颤抖起来，就像有了生命一样一跃而起，紧紧地粘在了那个孩子的鼻子上。那个孩子慌慌张张地想把香肠从鼻子上扯下来，却怎么也扯不掉。

他哇的一声大哭起来。

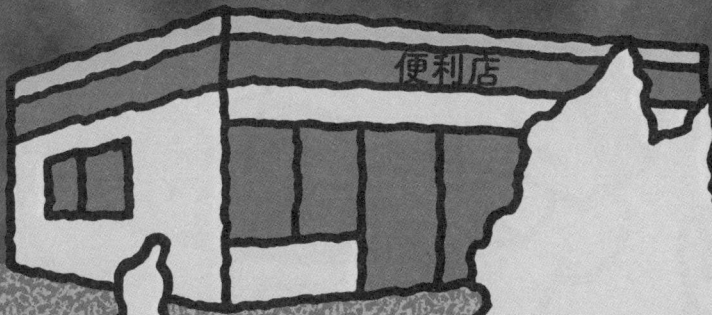

"木偶鼻子！智树，快看！"

哐当一声，智树吓得眼镜都掉了。

"救……救救我！"

听到声嘶力竭的呼救声，悠平转过身去，发现
那个胖胖的孩子全身都被青白色的光缠了起来，眨眼
之间身形就缩小了很多。

那几个六年级的孩子全都哇哇大哭起来。

智树害怕得蹲了下来。

"呜哇！"

悠平也在颤抖，他握紧了手中的冷火灯，鼓起勇气，来到了燃烧得最旺的火焰面前。

"火焰住手，他们已经得到教训了。"

燃烧得最旺的那团火焰发出嘿嘿嘿的笑声，然后慢慢变小。它回到悠平身边，倏地钻进了悠平手中的黑色笔形手电筒里，消失不见了。其他的火焰也逐

渐消失了。

便利店来电了，所有灯都啪的一声亮了起来。路灯也亮了，四周恢复了光明。

"来电了！"悠平开心地叫了起来。

智树站起来把眼镜重新戴正，大家也都恢复了原样。香肠也好，胖小孩的身形也好，都正常了。

哭了一通鼻子的那几个六年级的孩子，跟跟跄跄地各自回家去了。

智树悄悄来到悠平身边，说："对不起，悠平，我撒谎了。我之前看到的不是火焰，而是萤火虫。"

"我就说呢，你果然是骗我的。"

智树垂头丧气的样子，看起来有点儿可怜。

"不过，我也想看看萤火虫。"悠平说。

智树笑了笑。似乎是为了掩饰自己的尴尬，他忽然大声说："我肚子快饿瘪了！"说完就骑上自行

车，一溜烟跑了。

悠平一个人踏上了回家的路。当他走到漆黑的小区广场时，火焰又一次贴心地飘了出来。

它看起来很开心，热烈地舞动着。

"你爸爸小时候也是个胆小鬼。我经常追赶他，总是把他吓哭。"

悠平一下子笑了起来。

"我爸现在还是胆小鬼。不过，他好像最怕我妈。"

火焰扑哧一声笑了，火光一下子升腾起来。它温柔地说："悠平，你今后一定要做一个勇敢的人。拜拜。"

呼呼呼……

火焰燃起最旺的火苗后，一下子消失了。

悠平久久地凝视着火焰消失后的夜幕。

从那以后，冷火灯再也无法使用了。不管是摇它，喊它，还是往它顶端的黑洞里望，它都没有反应。

但是，悠平还是郑重地把它放在了书架的最上层。

悠平坚信，某一天那团火焰还会呼啦一下出现。

在那之前，悠平打算一直做一个勇敢的人，就算长大成人，也不改变。

星光璀璨发箍

明星也有烦恼

一年级的时候，美琴超喜欢嗓音甜美可爱的歌手。她能记住自己喜欢的歌手的所有舞台动作，对偶像的全部歌曲都耳熟能详。

　　二年级的时候，美琴迷上了一位在奥运会上备受瞩目的花样滑冰选手，还缠着爸爸妈妈给她买了一双白色的冰鞋。

　　三年级的时候，美琴又想成为电视里的童星。因此，在学校即将举办年度会演的那段时间，她是班里干劲最足的小演员。

　　到了四年级，美琴发觉乒乓球运动员又帅又酷。

　　美琴自言自语道："啊，我到底想成为什么样的人呢？"在一旁的妈妈听到后，笑着替她回答道："美琴是想成为明星吧？"

　　"妈妈说什么呢！哼！"

　　美琴生气了，但转念一想，好像确实是这样。

　　如果能经常上电视，接受很多采访，一定很开心

吧。被大批粉丝包围，和大家一一握手，唰唰地给粉丝签名，还能结识其他艺人，要是能那样真是太好了。

如果成为明星，生活一定会变得很美好。

"美琴，你想成为明星的话，把我们家的饭团店经营好不就行了吗？到时候顾客争相排队，电视台一定会来采访我们的。"

"不好！就算我们家的饭团店出名了，也只有附近的叔叔、阿姨、老爷爷、老奶奶会来！"

美琴家在商业街上经营着一家小小的饭团店，店名叫"咕噜噜"。美琴的爸爸从单位辞职后，和美琴的妈妈一起开了这家小店，今年是小店开张的第二年。店里从未有过顾客争相排队候餐的盛况。不过，美琴的爸爸妈妈似乎很享受现在这种悠闲开店的快乐时光。

美琴家的店里刚做好的饭团又大又松软，馅料饱满，紫菜酥脆，非常好吃。超大颗的梅子是美琴的妈妈用独家秘方腌的，美琴也出了一份力。美琴的妈妈目前正在研究咸海带的煮法。

与朝九晚五的上班族不同，开店的人需要起得很早，做到这一点的确不易。但由于在上班前购买早餐的顾客较多，美琴的爸爸妈妈必须在早上五点左右蒸上米饭，并做好各种准备。

因此，美琴早上总是一个人起床，并孤零零地一个人去学校。而且，美琴的早餐每次都是饭团！有时候连零食都是没卖掉的饭团！美琴真的受够了！

"开什么饭团店！太讨厌了！"美琴不由得抱怨起来。

一直快步跑在美琴前面的小黄狗突然停下了脚步，转过头来，一脸茫然地看着美琴，似乎在问"你在说什么？"。

时近黄昏，美琴陪着小黄狗在商业街附近的公园里散步。早晚各一次的遛狗任务也由美琴承担。

"唉，你也很讨厌，竟然叫'木鱼花'[1]。"

小黄狗很兴奋，似乎在说"我喜欢"。

小黄狗最初的名字很可爱，叫"玛丽莲"。但是，爸爸想把它打造成饭团店的吉祥物，于是把它的名字改成了"木鱼花"。玛丽莲真的太可怜了！

"爸爸太过分了！如果我是今年出生的，估计名字就叫'腌梅子'或者'鱼子酱'了。"

"汪！"

"啊？你听懂了呀，原名玛丽莲的木鱼花……"

"嗷呜呜。"

美琴本以为木鱼花生气了，却发现它正朝着另一边狂吠不止。

---

1 木鱼花是日本的一种调味品，可以给饭团增添风味。——编者注

木鱼花满脸警惕，像是发现了什么可疑的东西。

原来，喷水池边立着一个闪着金光的矮矮胖胖的东西。

噼噼啪啪，噗噜噗噜，嗒啦嗒啦，轰轰轰——

欢快的歌声响起，宛如某个不知名国度的节日歌声。

噼噼啪啪，噗噜噗噜，嗒啦嗒啦，轰轰轰——

"好有趣，我们过去看看吧。"

原来是一台自动售卖机。它的两扇小窗向左右两边打开，露出了里面各种各样的商品。并排的两盏圆灯发出蓝色的光芒，一个开朗明快的声音响了起来。

"嘿，欢迎光临！你的愿望是什么？能帮你实现愿望的火箭商店，现在开始营业。"

"哈哈哈，就像来到了购物街一样。这台自动售卖机里有些什么啊？"

动听歌声果汁糖、高空气球泡泡糖、呐喊助威球拍、

圆梦台词笔记本、星光璀璨发箍、自由旋转神奇喷雾。

"这都是什么？好奇怪……"

"这里有独一无二的绝佳商品，每件只要五百元！"

"高空气球泡泡糖？嚼嚼泡泡糖就能飞的话，倒也不错呢。"

"是的，是的，这件商品深受孩子们的喜爱！"

自动售卖机骄傲地说，像是在回应美琴的话。

"动听歌声果汁糖……是不是吃下去之后就能拥有甜美的嗓音，成为一名歌手？"

美琴回忆起一年级的时候，自己特别想成为歌手，每天都在练习唱歌。

圆灯闪了闪。

"是的，是的，它可以让你成为歌手！这样你就能在电视上大放异彩，迅速走红！"

美琴心想：哇，它真的在回答我！不过，这些都是骗人的吧？这真是一台自吹自擂的自动售卖机。

木鱼花也觉得这台自动售卖机十分可疑，它拱起矮墩墩的身子，抽动灵敏的鼻子，使劲嗅了起来。

美琴认定自动售卖机在骗人之后，反而放松了下来，觉得它非常有趣。

"原来如此。那自由旋转神奇喷雾又是什么东西呢？"

"把它喷在冰鞋上，滑冰更灵活，几周跳都不在话下，在奥运会上绝对能拿金牌！"

美琴想起了自己二年级时的梦想，即便认定自动售卖机在骗人，依然有些心动。

"那么，圆梦台词笔记本呢？"

"把台词写进这本笔记本里，然后安心睡觉。在梦中，台词会自动被记住！它最适合想成为演员的人，本店大力推荐！"

美琴好想要。她记得，成为演员是自己三年级时的梦想。

当时美琴那么努力，却偏偏在学校年度会演的关键时刻忘了台词，真是欲哭无泪。那时候她如果有这本笔记本就好了。

不过这也没什么好遗憾的，这台自动售卖机本来就是骗子。可是，这些商品怎么和我的梦想如此契合呢？美琴暗想。

美琴目不转睛地盯着自动售卖机。圆灯闪了闪，自动售卖机装出一副无所谓的样子。

"呐喊助威球拍就是一个乒乓球拍？"

自动售卖机愉悦地回答：

"它可不是普通的乒乓球拍。成功扣球后，你不用自己呐喊，球拍会为你大声呐喊'好球！'。真的非常好用哟。"

成为乒乓球运动员是美琴现在的梦想。

"喂，你是怎么知道我的梦想的？"

"因为我是能帮你实现愿望的火箭商店。帮顾客实现梦想是我的荣幸！我卖的商品都很便宜，任意一件都只要五百元。"

"五百元就能实现梦想？怎么可能?！你这台骗人的售卖机！我们回去吧，木鱼花。"

美琴哼了一声，转过脸去。木鱼花也跟着狂吠起来，还在自动售卖机的支脚旁边撒了一泡尿。

自动售卖机震颤了一下，响起了悲伤的歌声。

佩——哩啰哩——哆啦特——咪悠依——

"本店即将打烊。"

哈哈哈，自动售卖机放弃向美琴推销商品了。美琴心里正想着刚才的事，脚边忽然传来木鱼花的惊呼声。

"怎么了，木鱼花？"

木鱼花嘴巴张得大大的，抬头仰望天空。

美琴抬头一看，嘴巴也跟着张得大大的，表情

和木鱼花的一模一样。

一个小男孩正开心地在空中飞来飞去，嘴里还吹着一个超级大的泡泡。

"喂！等等我。"一位母亲大喊着从后面追了过来。

自动售

卖机向这位母亲深深地鞠了一躬。

"高空气球泡泡糖是你的啦，感谢惠顾。"

什么？自动售卖机没有骗人？！

美琴慌忙指着中间的一件商品问："星……星光璀璨发箍，是和明星有关吗？"

自动售卖机的圆灯转动起来，闪耀着深蓝色的光芒，仿佛在说"你猜对了"。

"这件商品非常适合想成为明星的你！只要戴上这个发箍，你就会变成……超级巨星！"

超——级——巨——星！

美琴两眼放光。

"我要买！"她把原定用来买零食的五百元硬币投入自动售卖机，按下按键。当啷，发箍从出货口掉了出来。

"星光璀璨发箍是你的啦，感谢惠顾。"

看到美丽的金色发箍，美琴不由得雀跃起来："哇，好漂亮！"

发箍正中央排列着的三颗蓝宝石，像星星一样闪闪发光，十分迷人。

美琴还记得自己上幼儿园的时候，总喜欢戴着王冠头饰，扮演公主。是啊，她终于想起来了，自己最初想成为的就是受人瞩目的明星！

美琴拿着发箍，把它轻轻地戴在头上。发箍的大小很合适。

"怎么样？木鱼花，我漂亮吗？"

当美琴自我陶醉时，自动售卖机的窗口缓缓关闭。接着，它的四周白烟弥漫。

"咦，怎么了？"

"能帮你实现愿望的火箭商店，期待你下次光临。

三、二、一——打烊！"

轰！

自动售卖机尾部喷出火焰，猛然起飞，不断上升。

"不会吧?！"

美琴把吓得扑进自己怀里的木鱼花紧紧抱在胸前，紧盯着自动售卖机，直到它金色的光芒消失在遥远的天际。

这宛如一场梦。

美琴愣在原地，把脸颊贴在木鱼花身上蹭了蹭。这时，身边传来一个声音。

"哇，好可爱。请允许我拍张照片吧。"

美琴回头一看，只见一位阿姨

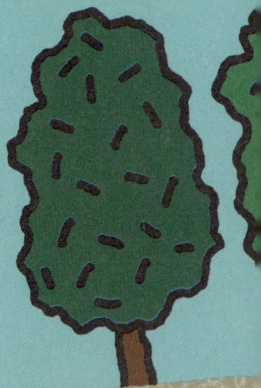

拿着智能手机，迅速按下了快门。

"可以告诉我名字吗？"

"好啊，木鱼花。"

"哎呀，连名字都这么可爱！"

听到赞美后，木鱼花向这位阿姨露出了最友善的表情。

美琴突然想到了什么，她冲这位阿姨微微一笑。

"木鱼花是咕噜噜饭团店的吉祥物。那家店就在车站前的商业街上，店里的饭团非常好吃，请一定要来买哟！"

"是吗？我一定去，我还要把那家店介绍给我的朋友。"

"谢谢您，请多多关照。"

美琴抓着木鱼花的爪子，朝阿姨可爱地挥手告别，然后离开了公园。

"希望顾客会因此多一些。到时候爸爸妈妈一定很高兴。"

"汪。"

饭团店顾客多了，家里才能赚到钱啊。自从开了饭团店，美琴一家就再也没去远一些的地方旅行，连新衣服都很少买。

美琴和木鱼花一起走在回家的路上时，总觉得哪里怪怪的。

擦肩而过的人似乎都在看她，还对她露出友善的笑容……

回到家后，美琴照了照镜子，觉得发箍非常适合自己，心里美滋滋的。

美琴对着镜子摆出各种姿势，玩得不亦乐乎。突然，她想到了一个问题。

"这个星光璀璨发箍究竟能让我成为什么样的明

星呢？我都忘了问一下。"

美琴对着镜子里的自己噘起了嘴。

她很想去问问自动售卖机，但自动售卖机已经飞走了……

"算了，自动售卖机说会让我成为超级巨星……它应该不会骗我。"美琴自言自语道。

第二天早晨，美琴醒来后看了看自己枕边的星光璀璨发箍，露出了幸福的表情。

星光璀璨发箍沐浴着清晨的阳光，闪烁着耀眼的金色光芒。

三颗蓝色的宝石宛如猎户座[1]猎户腰带上的三颗

---

[1] 猎户座：常见的星座，中央有三颗亮星连成直线，被看作猎户的腰带。——编者注

星星一般闪闪发光。

今天早晨美琴仍然是孤零零的一个人，但她却很开心：我真的能成为大明星吗？

吃完早餐，收拾好餐桌后，她站在镜子前，把发箍戴到头上，顿时感觉自己变成了明星。

丁零零……电话铃声响了。妈妈总会在美琴上学前给她打个电话。不过，今天电话打来的时间比平常早一些。

"美琴，不得了了！快带上木鱼花来店里！"妈妈的声音和往常不太一样。

"怎么了？发生什么事了？"

"回头再告诉你，我现在忙得不可开交！总之，记得带上木鱼花！"

挂了电话，美琴觉得莫名其妙。

"木鱼花，好像有什么大事发生了。"美琴带着木鱼花，匆匆忙忙离开了家。

车站前的商业街离美琴家非常近，走路大概五分钟就能到。

美琴一路小跑，来到商业街的入口处时，一条前所未有的长队映入眼帘。

美琴心想，是有新游戏在举行首发仪式吧。可她继续往前走才发现，这些人居然是在排队买她家店里的饭团，这简直令人难以置信。

有位排队的顾客看到美琴，激动地大叫起来。

"木鱼花小可爱来了！"

话音刚落，整排的顾客齐刷刷地看了过来。

"哇，木鱼花小可爱！"

"好可爱！"

"真是她本人呢！"

"啊？"

美琴和木鱼花面面相觑。妈妈飞快地跑过来，把美琴和木鱼花拉进店里。

狭小的厨房里，爸爸眉毛上扬，满脸通红，利落地捏着饭团。刚蒸好的满满一大锅米饭正在不断减少。

"饭团一做好立刻售空。米饭无论蒸多少锅都不够用。今天生意怎么这么好？"

妈妈用毛巾帮爸爸擦了擦布满汗珠的脸颊，对美琴说："好像是因为木鱼花突然红了。今天，饭团店还没开始正式营业，许多顾客就喊着'木鱼花小可爱在哪里呀？'蜂拥而至，那场面可壮观了！"

"这到底是怎么回事？"

美琴转过头看向外面的队伍，发现昨天在公园里遇到的阿姨也在，那位阿姨正一脸得意地朝她挥手。

原来如此。看来是那位阿姨向大家宣传了美琴家的饭团店。但是，美琴真没想到会来这么多顾客。

"你真厉害啊，木鱼花！"

听到美琴的表扬，木鱼花骄傲地扬起了它小小的脑袋。

爸爸也得意地挺起胸脯，说："怎么样，看到了吧？叫'木鱼花'比叫'玛丽莲'好吧？"

不过，爸爸脸色忽然又沉重起来："手好酸。没想到捏饭团能这么累……"

妈妈可不管爸爸累不累，她开心地对美琴说："快，带木鱼花出去给大家看看，大家都在等着它呢。"

"走吧，木鱼花。去展现你最可爱的一面吧！"

"汪！"

美琴一把抱起木鱼花。刚走出店门，美琴和木鱼花就被雷鸣般的欢呼声包围了。看到大家都拿着手机、相机准备拍照，美琴把木鱼花高举起来，以便大家更清楚地看到饭团店的吉祥物："大家久等了，木鱼花来了！"

木鱼花滴溜溜地转着眼睛，摆出了自己最可爱的样子。

就在这时，有人喊道："木鱼花小可爱，请把小狗放下，我们要拍你啦。"

"小狗把你的脸挡住了！"

啊？

美琴有点儿茫然。她一放下木鱼花，周围就响起了暴风雨般的快门声。

"美……美琴，快看看这个。"

妈妈跑到美琴身边，给她看手机屏幕。原来，那位阿姨拍的照片被疯狂转发了。照片里的美琴戴着发箍，一脸微笑，旁边还配了一段粉红色的文字。文字加了动画效果，就像盛开的樱花在摇曳。

"这是咕噜噜饭团店的吉祥物木鱼花！她今天会用她可爱的小手为大家捏出许许多多可口的饭团哟。大家快去咕噜噜饭团店享用饭团吧！"

照片里只露出了小狗的两只耳朵。

美琴抬起头看向大家，说：

"我……我不是木鱼花，是这位

阿姨搞错了……"话还没说完，她就被妈妈强行捂住了嘴巴。

美琴的妈妈转头亲切地对顾客们说："对不起，让大家久等了。很遗憾，本店饭团已售完，所以今天不得不就此打烊。实在抱歉！" 顾客们都对不停鞠躬道歉的妈妈很友善。

"太遗憾了！不过，今天能够见到木鱼花，真是太好了。"

"木鱼花小可爱，我还会再来的哟。"

"下次见了，木鱼花小可爱。"

于是，队伍慢慢散开，顾客们一一离开了。

妈妈松了一口气，和美琴一起走进店里。

平常爱讲无聊笑话的爸爸今天彻底没力气再说话了。他今天一直不停地捏饭团，已经累得快趴下了。

原本满满的一袋大米已经空了。

"哎呀，美琴。这个发箍真漂亮！哪儿来的呀？"

"嘿嘿，这个嘛……"

美琴离开店，悄悄把发箍取下来，凝视着发箍散发出的不可思议的金色光芒。

刚刚大家都是为了见我而来的，还排了那么长的队。哇，我成明星了。想到这里，美琴心里美滋滋的。

美琴发现自己只有戴上这个发箍的时候，才能成为明星。

在学校的时候，一切一如往昔。美琴既没有受到大家的关注，也没有被人认出是木鱼花。

但美琴满脑子都是早上大家看向她时那种喜爱的眼神，和齐刷刷响起的快门声。即便在上课的时候，一想到这些，她也像发烧了一样满脸通红。

当明星真好啊！

美琴放学回到家，看到早早停止营业的爸爸妈妈正兴奋地聊着天。

爸爸神气十足地说："今天居然卖了上千个饭团。哇哈哈！"

"真厉害！"妈妈挥舞着手里的账本，"营业额是平日的五倍！这还是早上只卖了一个小时的成果。"

美琴惊讶地问："真的吗？"

爸爸两眼放光地看着她："美琴，你明天也到店里来吧，后天也来。"

"啊？"

妈妈也点头赞同。

"你只要放学后来露个脸就可以了，我和你的粉丝们说好了。"

"什么？可我不是木鱼花呀！我才不要用小狗的名字成名呢。"

爸爸妈妈紧张地看着美琴。

"'咕噜噜'火爆的机会来之不易，难道你不希望店里的饭团卖得好吗？"

"等赚到了钱，爸爸妈妈会给你买新衣服，我们全家还能一起去旅行。"

美琴想要新衣服，也想要一家人一起出去旅行。

这时，小狗仰起头来充满期待地望着美琴，美琴问："那木鱼花怎么办？还是把名字改回玛丽莲吧。"

小狗"汪"了一声，像是表示赞同一样，开心地摇起尾巴来。

"不行！毕竟是我们店的吉祥物……不如叫'鲑鱼'吧。"

"呜呜。"

"不好。我们家卖得好的饭团有……"

美琴的爸爸认真思考着。

"或者叫'肉味噌'[1]？"

"嗷呜。"

"'海胆''海蜇'也不错。"

"嗷呜呜！"

小狗生气地咬住爸爸的拖鞋，奋力把它叼走。

1　肉味噌：日本的一种酱料。普通的味噌由黄豆制成，肉味噌是加了肉的味噌。——编者注

但是，诚如爸爸妈妈所说，这确实是一个让饭团店一炮而红的好机会。

美琴没办法，决定还是由自己来当饭团店的形象代言人——木鱼花小可爱。

至于小狗的名字……最终改成了"海带"。

而星光璀璨发箍的秘密，美琴决定暂时不告诉爸爸妈妈。

"海带，这是我们俩之间的秘密哟。"

"嗷呜！"

之后，美琴一放学，就戴上星光璀璨发箍，急匆匆地赶去"咕噜噜"帮忙。顾客们会看准时间排队，这让美琴的爸爸妈妈轻松了许多，因为他们可以从早上就开始准备饭团。

美琴成为明星后，每一天都很快乐。她或是在照相机前摆出各种姿势，或是和顾客一起自拍，或是和顾客握手、聊天，还会在饭团外包装上签名。总之，她充分享受着当明星的感觉。

美琴家的饭团越来越畅销，饭团店的营业额也越来越高，美琴的爸爸妈妈天天笑得合不拢嘴。

"《转转转，美食家！》节目要来采访我们了！"

"哈哈，太好了，孩子她爸！"

"等我们的店上了电视，日本各地的顾客都会来的，啊哈哈！"

爸爸妈妈看向美琴。

"美琴，要好好宣传哟！"

"交给你了。"

美琴充满干劲地说："嗯，

都包在我身上吧！"

一家三口紧紧挽着手，干劲十足地喊起了口号：
"加油，咕噜噜！"

然而，第二天，美琴班里和她关系非常好的一个同学不好意思地对她说："我妈妈抱怨说'咕噜噜'的饭团比以前小多了。原来的饭团又大又松软，馅料饱满，紫菜酥脆，一口咬下去，就会给人满满的幸福感。但是现在的饭团让她十分失望……你家店还好吗？"

其他同学也默默点头赞同。

糟糕！不行，这可不行！

最近，妈妈不再亲自腌梅子了，做饭团用的梅子都是从外面买的。

美琴当晚就把白天发生的事情一五一十地告诉了爸爸妈妈。

没想到，爸爸一脸不悦地说："小孩子的话不用在意。反正每天都有顾客排着队来买我们的饭团。"

"对啊，对啊。我们要赚更多的钱，开更大的饭团店！"

妈妈也充耳不闻，只管皱着眉头看账本。

爸爸妈妈好像都变了一个人。以前，爸爸妈妈总是笑呵呵的，三口之家充满了欢声笑语。

美琴凝视着手里的发箍，发现它原本耀眼的金色光芒似乎也变得黯淡了。

"大家好，《转转转，美食家！》今天的目的地是这条商业街上的一家小小的饭团店，名叫'咕噜噜'。哇，好长的队呀。"

电视台的采访终于开始了。美丽的女主持人微笑着露出了洁白的牙齿。

"排队的顾客们是为了好吃的饭团，以及——"

摄像机镜头聚焦到一大排制作精美、摆放有序的饭团之后，又给了小狗一个特写。与此同时，主持人的声音再次响起："这家店的吉祥物——海带！这真的是个非常有意义的名字。"

镜头里的小狗却满脸不耐烦。

"然而，这家店人气爆棚的秘密却是，他们有一

个超受欢迎的形象代言人——木鱼花小可爱！她可是这条商业街的超级巨星！"

排队的顾客们一齐鼓掌，并大声呼喊"木鱼花小可爱"。

画面中，美琴戴着金色的发箍闪亮登场。

电视台的工作人员不由得惊叹起来，连女主持人的声音都激动得发颤："哇，多么美丽的发箍啊！我

已经被它不可思议的金色光芒迷住了。"

美琴微微一笑，画面仿佛被彩虹的七彩光芒笼罩了一般：

"是的，无论是谁，只要戴上这个星光璀璨发箍，就能成为明星。"

女主持人感动不已，连声音都带上了哭腔：

"无论谁都能成为明星！这是多么梦幻而又美好的事情啊！那么，木鱼花小可爱，请你对等待已久的顾客说几句吧。"

美琴乖巧地点了点头，向排队的顾客挥了挥手。然后，她深深地吸了一口气，大声说："大家好。感谢大家一直以来的支持。但是，请允许我变回普通女孩！"

美琴说完，轻轻摘下了发箍。发箍上并排镶嵌的三颗蓝宝石一下子黯淡了下来，发箍也失去了光芒。

排队的顾客脸上露出了不可思议的神情，场面变得嘈杂混乱。顾客如梦方醒，纷纷离开了饭团店。眨眼之间，队伍就散开了。

电视台的工作人员也察觉到，镜头里的主角不过是个极其普通的小学四年级的女学生，于是连忙把镜头转向女主持人。震惊的女主持人慌忙说道："那……那么，我们去探访下一家美食店吧！"

美琴想要成为明星。

她想要成为的，不仅仅是很多人知道的人，还是宛如夜空中闪亮的星星，能点亮大家的心、给大家带来幸福的人。在美琴的心里，明星就是这样的人。

她觉得，只是简单地想成名是不对的。必须好好思考自己想成为什么样的人，并踏踏实实付出努力才行。

"亲爱的发箍，你想告诉我的就是这个道理，对不对？"

三颗蓝宝石发出一道光芒，仿佛在回应美琴。

之后，一切都恢复了原样。美琴的爸爸妈妈仍然一大早就去店里制作可口的饭团，那些饭团又大又松软，馅料饱满，紫菜酥脆，一口咬下去，就会给人满满的幸福感。饭团店的顾客也日渐增多。

美琴已经不再是明星了。虽然她心里有些空落落的，但看到爸爸妈妈脸上又恢复了笑容，日子也悠闲起来，美琴觉得这比什么都让她高兴。

啊，一切都恢复了原样，真好啊。

"你应该也感觉很好吧，玛丽莲？"

"汪！"

数学学霸眼镜

数学一点儿也不可怕

中本老师在黑板上画了一个脸盆大小的圆。文也也跟着在笔记本上画了一个圆。

"这里有一个蛋糕。"

哦，原来是蛋糕啊。

中本老师在圆上写下"1"，然后说：

"如果要将蛋糕平均分给两个人，就需要将它平均分成两半。"

说着，中本老师在圆的正中央画了一条笔直的竖线，把圆分成了两半。

"其中的一份就是整个蛋糕的二分之一，这么写，我们学过的吧？"

说着，中本老师又在黑板上写下"$\frac{1}{2}$"。

虽然中本老师说的是分蛋糕，但是很遗憾，文也他们并不是真的在分蛋糕，而是在上数学课。

文也不擅长的科目很多，数学尤甚。墙上挂着的大算盘和三角尺好像在挑衅地对文也说："不服来战啊。"

文也最讨厌分数了，因为它看起来好难理解啊。

中本老师在黑板上又画了一个和刚才那个圆一样的圆。接着，用线把它分成了三等份。

"如果一家有三口人，这样分蛋糕大家才不会吵架吧？这样的一份就是整个蛋糕的……三分之一。"

文也家现在有四口人——爸爸、妈妈、奶奶，以及文也。

"如果是四口人的话，看……写作$\frac{1}{4}$。这就是分数，很有趣吧？一个圆很容易就能分成四等份。所以，要是吃蛋糕的话，还是四个人一起吃比较好啊。"

教室里，大家都笑开了怀。

但是，文也家即将有一个小婴儿诞生。那么，家里就有五口人了……

文也想把圆平均分成五份，但他不管怎么分都分不好。看着笔记本上最小的那份蛋糕，文也想到了一个好主意。

就把这份小的给小婴儿吧。这份蛋糕小了些，那就在上面放一颗草莓弥补一下，嘿嘿。

文也一边想，一边用彩色铅笔在笔记本上画了起来……中本老师并没有演示将一个圆平均分成五份该怎么分，而是重新在黑板上并排画了两个圆。

"这次有两个蛋糕，但要平均分给三个人。三个人要怎么分两个蛋糕呢——文也，你在听讲吗？"

"啊？"文也抬起头。同桌七代扑哧一声笑了，随后小声告诉文也中本老师问的问题。

"老师，您问三个人怎么分两个蛋糕？"文也想了想，说，"嗯……把两个蛋糕都对半分。"

中本老师面带笑容，饶有兴致地把两个圆都用线分成了两半。这时，教室里响起了同学们哧哧的笑声。

"那么，三个人各得半个蛋糕。"中本老师的手指依次指向三个半圆，"可这样的话，就多出了半个蛋糕。"

"剩下的蛋糕可以留着第二天吃。这样他们就能

多吃一次蛋糕了。"

"你在胡说什么?!这又不是真的在分蛋糕!我们是在学习分数。"

同学们都忍不住哈哈大笑起来。中本老师看起来也有些生气。

唉!我又说了奇奇怪怪的话,文也心想。

文也总是很认真地回答问题,但说出的答案往往不如人意,这让他很苦恼。

文也喜欢在语文课上读故事,在科学课上做实验,但真的不太喜欢数学课。

到家后,文也把今天在数学课上发生的事情告诉了妈妈,没想到妈妈和中本老师一样,也生气了。

"你竟然回答'留着第二天吃'!啊,太丢人了。妈妈都不好意思去学校了。"

"可是,老师说了是分蛋糕啊。"

“真是的，老师是在打比方呀，是为了让你们更容易理解分数的概念。”

妈妈从文也的书包里抽出数学笔记本。

“除了蛋糕，比萨饼、苹果、羊羹[1]等，都可以用来打比方。”

“啊？羊羹可不行。它不是圆的。”

“这……这是什么？”

妈妈翻开笔记本后，突然瞪大了眼睛，一股无法遏制的怒火席卷而来。

“怎么还有画？！”

笔记本上画着一幅小婴儿在开开心心地吃草莓蛋糕的画。

妈妈气呼呼地走出房间后，在一旁喝茶的奶奶将头探了过来。她一边看文也的笔记本，一边一脸好

1　羊羹：一种以红小豆等为原料制成的甜品，形状多为方形。——编者注

奇地问："你画了什么？让我也看看。"

"哈哈，画得真不错啊。你画的是刚出生的小婴儿吧？"

"嘿嘿。"

奶奶总是最懂文也的那个人。

文也笑了笑，决定向奶奶吐露心中的疑问：

"奶奶，人为什么要学数学呢？数学好无聊啊。"

"是啊，为什么呢？"奶奶一边喝茶，一边思考。

"因为这个世界上很多重要的东西都是用数字表示的，比如金钱、日期、电话号码，还有年龄，这些都跟数字有关。如果一个人自己都数不清楚自己几岁

了，那就糟糕了。你年纪还小，还能掰手指数自己几岁了，但奶奶如果掰着手指一岁一岁地数自己的年纪，那可数不过来。"

文也被奶奶的话逗笑了。

奶奶从零钱包里拿出一枚五百元硬币。

"给，拿去买数学笔记本，最好是能画很多画的那种。"

"嗯。"文也高兴地和奶奶一起吃了仙贝和甜黑豆后，就出发去文具店了。文具店就在学校附近。

赏樱季虽已过去，好天气依旧持续。

文也沿着小河一路往前走，岸边种植着一排排的樱花树，在清风的吹拂下，落英缤纷，仿佛在下花瓣雨，美不胜收。文也走上小桥，往下看去，河面上漂满了淡粉色的花瓣。

这么多花瓣！到底有多少片呢？几千？几万？

或许更多……有人数过吗？

走过小桥后，文也又走了一会儿，终于看到了西田文具店的招牌。

这时，文也发现有一个金光闪闪的东西立在文具店旁。它形状奇特，矮矮胖胖的，好像是一台自动售卖机。

几个孩子聚在它前面，一边指着它笑，一边议论着什么。

"这是卖什么的？"

"骗小孩的吧。"

"不会有人买吧。"

"这台自动售卖机看起来好傻啊！"

大家对着这台自动售卖机评头论足了一番。这时，文具店的老板西田大叔气势汹汹地从店里走出来，把一张纸重重地贴在了自动售卖机上，然后扭头回到了店里。

怎么回事?

文也兴趣盎然地走过去,看到那张纸上写着几个粗粗的大字:

"请勿在此购买"。

这几个字粗得简直可以和西田大叔的大粗眉毛媲美了。

文也感受到了西田大叔写字时的愤怒心情。这时,自动售卖机里传出忧郁惆怅的歌声,歌声中透着一股日落西山时的寂寥情调。

佩——哩啰哩——

哆啦特——咪悠依——

"能帮你实现愿望

的火箭商店，即将打烊。"

"啊？要打烊啦？"

文也不由自主地说了一句。

像是回应文也的话似的，自动售卖机的圆灯无力地闪了一下。

"这里有独一无二的绝佳商品，可是一件也卖不出去。"

"哦。"

文也觉得这台自动售卖机有点儿可怜，他下意识地瞥了一眼窗口里的商品：

语文畅写铅笔、数学学霸眼镜、美术热情画纸、音乐专注指挥棒、高效学习计划表、体育敏捷头带、科学心动桌垫。

"这些都是能让大家爱上学习的文具！"

谁会相信这种自卖自夸的话？刚才那些孩子的

话不无道理。

"超级便宜，超级便宜，全场五百元一件！"

这可不便宜！五百元可是文也整整一个月的零花钱呢。

"如果只要一百元的话，就算明知是假的，也会有人买吧？"

自动售卖机的灯光一下子变红了，它好似气红了双眼，机身也剧烈颤抖起来。它可能真的生气了。

"保证商品质量，童叟无欺！"

虽然它都这么说了，但文也还是……

"数学学霸眼镜？如果它真的能让我成为数学学霸……我好想买啊！"

"货真价实，尊贵的顾客。"

"奶奶，我该怎么办？"

文也在心里呼唤奶奶。突然，他想起了奶奶以前说过的一句话：

"千万别被骗了，文也。但更不能因为害怕被骗，就拒绝相信别人。"

虽然这家伙不是人……

"好吧，我就相信你一次。"

文也将五百元硬币投入自动售卖机。按下按键后，商品嗖地一下出现在了出货口。

"数学学霸眼镜是你的啦，感谢惠顾。"

自动售卖机的声音一下子振作起来，歌声也生动明快起来。

啪啪啦佩——噼啪啰啰——咚喀咚喀——咚喀啦嚓——

这时，西田大叔从店里挥舞着扫帚跑了过来，脸红得像煮熟的章鱼。

"吵死了，不许在我的店门口卖那些奇奇怪怪的东西。"

自动售卖机慌忙把售货窗口关上。

"本店即将打烊。"

"终于关门了，很好很好。"

大叔满意地点了点头。这时，自动售卖机哆哆嗦嗦地摇晃起来，然后噗的一声喷出一股白烟。

"啊！"大叔好像吓了一跳，在一片烟雾中叫喊起来。文也也慌忙躲开。

这时，自动售卖机又发出了声响：

"三、二、一——打烊！"

轰隆！

伴随着巨大的轰鸣声，自动售卖机准备起飞。它喷出红色的火焰，猛地蹿了出去。它闪着金色的光芒，最终消失在天际。

"好厉害。真的是火箭啊！太酷了！"

烟雾消散，西田大叔一脸迷惑地眨着眼睛。而当他意识到那台自动售卖机已经离开后，又高兴得鼓起掌来。他就像一位打败了大坏蛋的英雄一样，开心地回店里去了。

文也恋恋不舍地抬头望向天空，只见一张白纸从空中缓缓地飘落下来，恰好贴在了西田文具店的招

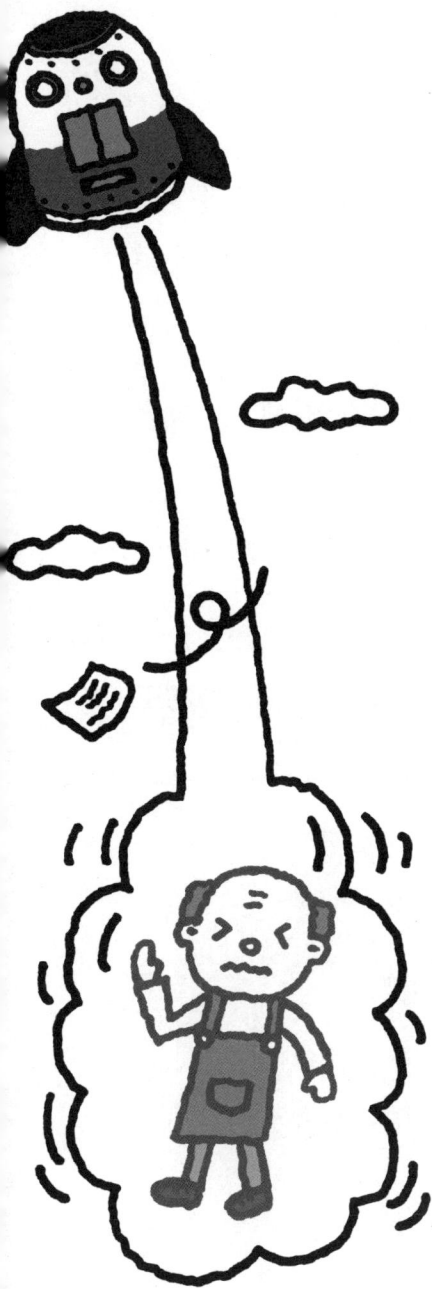

牌上。

"请勿在此购买"！

刚要进店的孩子看到这几个大字，慌慌张张地跑开了。

这就是数学学霸眼镜？

文也打开透明的盒子，盒子里放着一副圆框眼镜。眼镜的镜框上，数字和符号仿佛有生命似的跳动着，十分新奇。

文也突然有点儿激动，他小心翼翼地戴上这副眼镜。但是，他看到的事物却一如往常，毫无变化。

文也再次环视了一周，周围依然没有什么改变。

什么破东西?！文也很生气。这时他才意识到自己已经把本该用来买笔记本的钱花光了。

奶奶，对不起。我好像又把事情搞砸了。我真的是……

想到这里，文也深深地叹了口气，沿着来时的路无精打采地往回走。

走上小桥，文也看到一个小女孩和她的妈妈正开心地望着铺满樱花花瓣的粉红色河流。

"好多花瓣，真漂亮啊！"

"妈妈，河里有多少片花瓣呢?"

小女孩问出了文也想问的问题。

于是，文也也看向桥下的河流。就在这时，他发现漂满樱花花瓣的河流中央浮现出一个圆圆的东西。

嗯？是数字 0 吗？

他还没反应过来，1、2、3……数字开始不断变化。

10、100、1000……数字迅速变化着。

接着，河面上出现了几个红色的字——"正在计算"。

这是怎么回事？

这时，文也才意识到，他还戴着那副眼镜。

文也赶紧摘下眼镜。果然，数字和红色的字都消失了。河面上只剩下花瓣在漂荡。

文也又戴上了那副眼镜。这回，一行红色的字在河面上闪耀："计算完毕，花瓣数量是——"。

紧接着，文也眼前闪现出"584392 片"的字样。

哇！数量惊人！

过了一会儿，河面上的数字变了。河水不停地流动，花瓣的数量随之不断地变化。

好有趣!

文也凝视着河面,观察了一会儿数字的变化。然后,他仔细看了一下眼镜盒,发现里面写着这副眼镜的使用方法:

一旦"听到"提问,或"看到"题目,就会自动开始计算,非常方便。

计算结束后,请按一下镜框正中央的横梁。

提问?原来如此。因为那个小女孩问了花瓣的数量,所以眼镜才开始计算的。

文也轻轻按住两个镜片之间的横梁并往上推了一下,刚才自动生成的答案就消失了。

真是太有意思了。幸好文也选择相信那台奇怪的自动售卖机。

文也仰头望着天空,嘟囔道:

"那家伙飞到哪里去了?"

文也话音刚落，天空中就出现了"**正在计算**"几个字。随后，答案就出现了。

"**高度2万5千米。正以一倍声速向西北偏北方向飞行。**"

哇！不管问什么，马上就有答案。

好了，该回家写作业了！

文也收好眼镜，飞快地跑回了家。

自从上学以来，文也还是第一次这么开心地做数学作业。

他以惊人的速度完成了一页又一页的算术题。根本不用他张嘴提问，眼镜一"看到"计算题，马上就给出了答案。无论是三位数的乘法题，还是有余数的除法题，它都能瞬间给出答案。不管题目要求用小数还是用分数计算，对它来说都不在话下。

遇到应用题时，眼镜会给出具体解法和相关算式；遇到图形题时，笔记本相应的位置会浮现出标准的三角形、四边形和圆等图形……

这些图形和文也画得歪七扭八的图形完全不一样，将这些图形描画到本子上，问题就能轻松解决。

好开心！这样下去，我也许真的会喜欢上数学。明天，我要戴这副眼镜去学校，让老师和同学们都大吃一惊！文也心里乐开了花。

看到文也戴着副奇怪的眼镜一边做作业一边傻笑，妈妈和奶奶感到莫名其妙，又有些担心。

"我们昨天的课程内容只讲了一半，今天我们继续学习分数。"

说着，中本老师在黑板上画了两个大大的圆。

昨天，因为文也莫名其妙的回答，同学们大笑不止，下课铃声在笑声中响起，课程内容还没讲完，他们班就被迫下课了。

"昨天我们讲到了有两个圆形蛋糕，三个人该怎么分。"

一直在上数学补习班的小隼马上举起手来。在中本老师的示意下，他走到黑板前面。他在两个圆上分别画了三条线，把每个圆都分成了三等份，然后自信满满地回答道：

"每个人从两边各拿$\frac{1}{3}$。这样，最终每个人都分到了$\frac{2}{3}$。"

中本老师赞赏地点了点头。

"回答正确。$\frac{1}{3}$加$\frac{1}{3}$就是$\frac{2}{3}$。两个$\frac{1}{3}$就是$\frac{2}{3}$。大家听明白了吗？"

看到大家脸上似懂非懂的表情，中本老师准备把黑板上的圆擦掉，换一种讲解方法。这时，一只手倏地举了起来。

"老师，我！"

同学们纷纷发出惊叹声。

"怎么了，文也？你今天戴了一副新眼镜呀。你是要去上厕所吗？"

同学们哄堂大笑。

"不是的。刚刚的问题，还有另一种解法。"

中本老师露出了为难的表情。

"嗯……这是个很重要的知识点。你可不要又说一些奇怪的话，误导其他同学。"

"嗯，没问题。"

"真的吗？你可不要说，三个人一起玩'石头剪刀布'，赢了的两个人各吃一个蛋糕之类的话。"

"我不会那么说的。"

文也从座位上走到黑板前面。同学们窃窃私语，显然都在期待他说出什么不一样的答案。

文也拿起黑板擦，把黑板上的两个圆都擦掉了。教室里掀起一阵轰动。

文也先画了一个圆柱表示蛋糕。

"一共有两个蛋糕。"文也又在圆柱上加了一笔，形成了双层圆柱。接着，他在上面写了一个大大的数字"2"。

"把这个双层蛋糕，用刀切开——"

文也利落地画了几条线，把双层蛋糕分成了三等份。

"切成三等份后，三个人各取一份就行了。"

哇！同学们全都瞪大了眼睛。

"这也就是说，2除以3，就是$\frac{2}{3}$。"

文也写下"$2 \div 3 = \frac{2}{3}$"的等式后，用手指往上推了一下眼镜。

教室里响起一阵热烈的掌声。

"真的是这样。"

"很容易理解。"

"所谓的分数，原来和除法是一回事啊。"

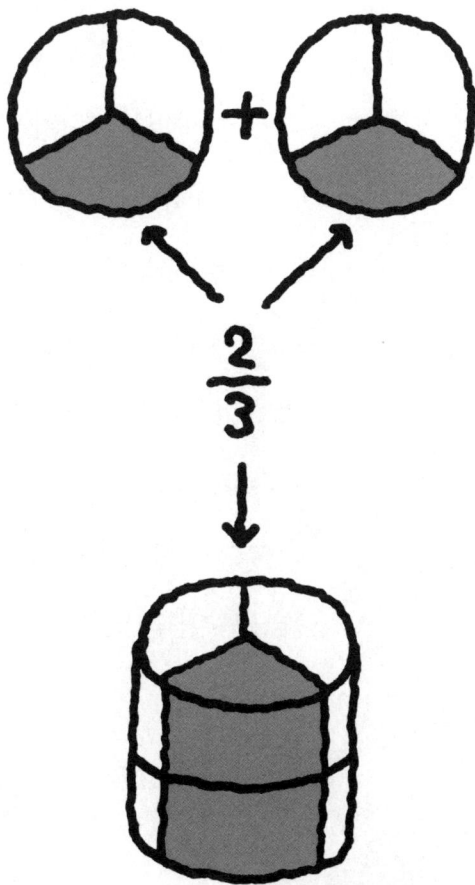

"文也，你真厉害。"

连中本老师都瞪圆了眼睛，一脸惊讶。

听到来自四周的赞美声，看到大家竖起的大拇指，文也内心十分满足。他走回座位的时候，步履轻盈，仿佛漫步在云端之上。

七代开心地伸出手，和文也击了个掌。文也的脸有点儿发烫。

文也一落座，就摘下眼镜放到桌上，强忍着不让自己笑出声来。

放学了，文也兴高采烈地走回了家。今天在数学课上发言是他上小学以来，除了学会单杠蹬地翻身上成支撑和一口气游二十五米之外，最开心的事情。

而那两件事已经过去很久了。

文也觉得直接回家时间还有点儿早。于是，他乘坐电梯到达公寓的五层，然后爬上露台。他很喜欢在露台上眺望远景。

春风迎面吹来，让人心情舒畅。

文也看到了自己的小学。在更遥远的前方，是高高的晴空塔[1]，非常壮观。文也转身看向另一边——今天天气晴朗，远处的富士山[2]也能尽收眼底。

能看见高高的晴空塔和美丽的富士山，今日文也真是大饱眼福了。

文也转动着脖子，朝两边看来看去，来回比较着。突然，他发现了一个很奇怪的现象。

晴空塔和富士山看起来竟然差不多高。这不是

1　晴空塔：日本最高的建筑。——编者注

2　富士山：日本第一高峰。——编者注

很奇怪吗？富士山应该比晴空塔高得多呀。

而且，和学校的教学楼相比，晴空塔看起来也没有高很多。它真的是日本最高的建筑吗？

啊，对了。

文也从书包里拿出数学学霸眼镜，将它戴上。他一边凝视着远方的晴空塔，一边提出问题。

"那座塔的高度是多少？真的比我们学校的教学楼高吗？"

文也话音刚落，晴空塔上方的天空中就出现了**"高度634米，距离此处10千米"**这句话。紧接着，文也眼前出现了几个红色的字："**正在计算**"。

文也等了一会儿，眼前出现了一行字："**晴空塔的高度是教学楼的……**"。接下来的景象把文也吓了一大跳，他不由得连连往后退了好几步。

他看到巨大的晴空塔瞬间移到了小学的教学楼

后面，塔身紧贴着教学楼。晴空塔宛如一个白色的巨人，巍然屹立。文也只有仰着头，才能看到塔顶。一共三层的教学楼现在看起来是那么小，小得就像是巨人的一只鞋子。

"教学楼高 15 米。$634 \div 15 \approx 42.3$。晴空塔的高度约为教学楼的 42.3 倍。"

大约相当于 42 座教学楼叠在一起！好厉害，晴空塔不愧是日本最高的建筑！

原来，如果掌握除法的计算方法并理解除法的意义，有些问题的答案就一目了然了。

文也摘下眼镜，晴空塔恢复了原样，依旧耸立在远处。不过，此时文也已经知道它的真实高度了。

这种感觉棒极了。

文也转过头，日本最高的山——富士山从这里看过去显得那么矮。他再次戴上眼镜。

"富士山和晴空塔哪个更高？"

文也刚问完，眼前就出现了**"富士山高 3776 米，距离此处 100 千米"**这句话，紧接着又出现了**"正在计算"**几个字。

文也心情激动地等待着，不一会儿，眼前浮现出一行字："**富士山的高度是晴空塔的……**"。文也回头望向晴空塔，兴奋地大叫了一声。

隔着眼镜，文也看到富士山一下子被搬到了晴空塔的后面，整个场景极其壮观。接下来，要开始计算高度差了。

"3776 ÷ 634 ≈ 5.96。富士山的高度约为晴空塔的 5.96 倍。"

刚才像巨人一样高耸入云的晴空塔，现在看起来就像是插在沙丘上的一根蜡烛。

太厉害了！文也决心一定要去爬一次富士山，

等放暑假了，就让爸爸带他去！

文也摘下眼镜，倚靠着护栏，吹着风，静静思考。

这些极其平常的景色，今天在文也眼中却有些不同。他总觉得自己今天看得比以前清晰。

这是为什么呢？

晚上，文也去了奶奶的房间，他想告诉奶奶今天发生的事。文也倒豆子似的对奶奶讲了数学课上的事情和露台上的经历，奶奶听完后说："啊，这样啊，是真的吗？哎呀，真让人吃惊。"说完，奶奶又端详了好一阵数学学霸眼镜。

"这可真是一副新奇的眼镜呀！不仅计算本领一流，还给我们家文也上了重要的一课。"

"啊？奶奶，您指什么？"

"昨天你不是问我为什么要学数学吗？"

"嗯。"

"学好了数学，就可以更加清晰透彻地看这个世界啦，正如今天你在露台上经历的那样！"

"啊，原来如此。我明白了！"

多亏了这副眼镜，文也做数学题的热情空前高涨。

"奶奶，这个星期六学校有公开课，您一定要来！我会积极举手回答问题的，哈哈哈。"

奶奶也开心地笑了起来。

在星期六到来之前的那几天里，文也在数学课上表现得非常积极，之前从不举手的他总是第一个举手，而且全部都能答对。文也再也不像从前那样给出奇奇怪怪的答案，惹得同学们哄堂大笑了。

中本老师和同学们都对文也的转变惊叹不已。

有一天午休的时候，小隼给文也展示自己数学补习班布置的作业。

"这道题超级难！你能解出来吗？我可花了整整

三天时间才解出来！"

看来，小隼是想考考文也。

文也一边戴上眼镜，一边应和：

"嗯，确实，这道题是挺难的。该怎么解呢？"

说完，他立刻在纸上唰唰地写下了算式和答案。

"我可花了整整三分钟呢！"

小隼面带不甘地走了。

"哈哈哈，小隼这家伙，从一年级开始就上数学补习班，结果这么简单的题都要花三天来解。"

文也一边嘲笑小隼，一边转头看向同桌七代，想要得到她的认同。没想到七代却回避似的移开了目光，拒绝和他交流。

咦，这是怎么了？

终于到了星期六。一大早，文也就想象着自己在课堂上积极发言的样子，干劲满满地起床了。可是，当他将目光扫向旁边的桌子时，脸色瞬时变得煞白。

眼镜不见了！就连眼镜盒也凭空消失了。

文也翻箱倒柜，拼命寻找。抽屉、书包、书桌的前后左右、床底下……他全都找了一遍，依然一无所获。

"呜呜呜，我的数学学霸眼镜不见了！没有它，今天的公开课可怎么办？！"

就在文也惊慌失措之际，奶奶走了进来。

"发生什么事了？"

"我的眼镜不见了！今天我要戴着数学学霸眼镜去学校……"

"啊?！你说的那副眼镜已经被我扔掉了。"

文也震惊得连话都说不出来了。

"你如果总是借助眼镜解题，就无法真正学到知识。而且，你最近变得有些傲慢，经常蔑视其他小朋友。你自己照照镜子看看你现在的样子。"

"我才不想照什么镜子！都怪奶奶！您根本什么都不知道！一直以来……在学校里……被大家笑话的人……都是我！"

文也既愤怒又委屈。可是，奶奶只是平静地说：

"笑话别人和蔑视别人是不同的。唉，眼镜我已经扔了，肯定找不回来了。没有眼镜，你靠自己的努力一定也能行。奶奶相信你！"

文也默默地咬着嘴唇。

"那副眼镜已经把学习数学的窍门都教给你了呀。它已经发挥了足够的作用，文也。"

奶奶的声音十分温柔，文也听着听着，不禁流下了眼泪。

　　公开课马上就要开始了，家长们都站在教室后面。文也的妈妈今天精心打扮了一番，旁边穿着和服的奶奶和蔼地微笑着。

　　数学课开始了。

中本老师提了许多与分数有关的问题，班里的同学争先恐后地举手。大家一个接一个地回答了问题。但是，文也一直低着头，一次也没举手。

妈妈和奶奶看了一眼教室里的挂钟，快要下课了，她们对文也的表现有些失望。

中本老师也有点儿担心文也。

"那么，今天最后一个问题——五郎家今晚要吃牛肉火锅。他们需要 1 千克牛肉，但家里只有 $\frac{4}{7}$ 千克牛肉。于是，妈妈派五郎去肉店买肉。五郎该买多少牛肉呢？"

老师在黑板上写下了这道应用题，立刻有很多只小手举了起来。老师微笑着看向文也。

"文也，最近你上课回答问题很积极，今天怎么不举手？是在谦让吗？"

"……不是。"

其他同学也察觉到了异样，有同学说：

"解这道题对文也来说轻而易举。文也，快上去吧。给你的家长好好展示一下，以后没准能多要点儿零花钱！"

大家都笑了。文也挠了挠头，从座位上站起来，走到了黑板前面。他握着粉笔，紧盯着黑板上的问题。

"……我真的不行。我不会啊。"

中本老师鼓励文也：

"加油，文也！你不是很擅长解分数应用题吗？现在已经有$\frac{4}{7}$千克了，那么还缺——"

"还缺$\frac{3}{7}$千克，但是……"

"看！这不是答对了嘛。"

中本老师松了一口气。可是，文也却噘起了嘴。

"但是，五郎去肉店真的能买到这么多肉吗？"

"嗯？"中本老师、同学，以及在场的家长全都面露不解之色。文也顿了顿，接着说道：

"肉店不会卖给他$\frac{3}{7}$千克牛肉的。因为没有秤能准确称出这么多肉。我经常去肉店帮家里买肉，从来没见过那种秤。"

教室里突然一片寂静。然后，中本老师第一个笑了出来。紧接着，整间教室里的人都爆笑起来。

中本老师挠了挠头，很开心地说：

"是啊，确实没有那样的秤。你说得对。一般答对问题我会画一个'○'，但你回答得格外好，所以我要给你画一个……"

中本老师用黄色粉笔在黑板上画了一个"☆"，黄色五角星在阳光的照耀下，好像真的在闪闪发光。

教室里的同学和家长都为文也鼓起掌来，文也终于露出了笑容。

就这样，今天的数学公开课以文也的精彩回答收尾，在欢快的气氛中顺利结束了。

七代像以前那样和文也击掌庆贺。文也又让全班哄堂大笑了，但是这次，他的心情好极了。

就算没有数学学霸眼镜也没关系！

公开课结束后，文也的妈妈和奶奶一起走路回家。她们走过一座小桥时，奶奶悄悄从怀里拿出那副圆框眼镜。

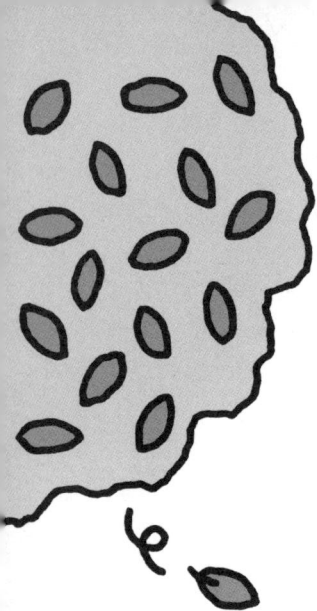

"咦，这副眼镜不是……"

"嘘——别告诉文也。"

有点儿调皮地对文也妈妈说完这句话后，奶奶自己戴上了那副眼镜。

奶奶凝视着樱花树，树上已经长出了数不尽的嫩叶。

"到底有多少片叶子呢？"

奶奶眼前很快就出现了一个极大的数字。嚯！奶奶不由得连连感叹：

"好神奇！真的太不可思议了！连我都要爱上数学了。我会不会因此更长寿呢？哈哈哈……"

眼镜圆圆的镜框发出金色的光芒，仿佛在回应奶奶。

以上就是几位小朋友和能帮人实现愿望的自动
售卖机邂逅的故事。

大家觉得怎么样？

有可能就在明天，

在你所在的城市，

能帮人实现愿望的火箭商店会从天而降。

"能帮你实现愿望的火箭商店，

感谢你的惠顾。期待你下次光临！"

山口道

　　本书作者，生于日本兵库县，毕业于东京大学。作品曾获"星新一微型小说文学奖"。文学作品有《如果日本人都变成米粒》《7分钟7个令人毛骨悚然的小故事》《危险药物》（以上三部均由讲谈社出版），以及"野猫苏格拉底"系列（岩崎书店出版）等；词曲作品有《幸运之歌》《远方的天空》（在网上公开发布）。

高井喜和

　　本书绘者，生于日本大阪府，毕业于大阪艺术大学。设计了代表明治巧克力豆的"彩珠汪汪"和兵库县西宫市的吉祥物"宫探"等众多卡通形象。代表作品有"餐厅怪谈"系列（童心社出版）、"黑熊的故事"系列（公文出版社出版）等。作品曾在2001年、2003年、2006年和2011年的博洛尼亚国际插画展上展出。

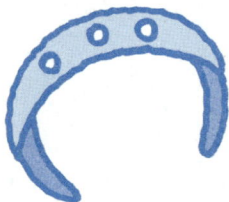

Negai ga Kanau Jidôhambaiki – Sansû Sukisuki Megane

Text copyright © 2022 by Tao Yamaguchi

Illustrations copyright © 2022 by Yoshikazu Takai

First published in Japan in 2022 by DOSHINSHA Publishing Co., Ltd., Tokyo

Simplified Chinese translation rights arranged with DOSHINSHA Publishing Co., Ltd.

through Japan Foreign-Rights Centre/Bardon Chinese Creative Agency Limited

Simplified Chinese edition © 2024 by Beijing Science and Technology Publishing Co., Ltd.

All rights reserved.

著作权合同登记号　图字：01-2023-4129

图书在版编目（CIP）数据

数学学霸眼镜 /（日）山口道著；（日）高井喜和绘；吴鑑萍译. —北京：北京科学技术出版社，2024.1（2024.4 重印）

（愿望售卖机）

ISBN 978-7-5714-3421-2

Ⅰ . ①数⋯　Ⅱ . ①山⋯　②高⋯　③吴⋯　Ⅲ . ①儿童小说 - 中篇小说 - 日本 - 现代　Ⅳ . ① I313.84

中国国家版本馆 CIP 数据核字（2023）第 225342 号

策划编辑：刘　璐　张心然　尚思婕	电　话：0086-10-66135495（总编室）
责任编辑：郭嘉惠	0086-10-66113227（发行部）
封面设计：包荧莹	网　址：www.bkydw.cn
图文制作：天露霖文化	印　刷：三河市华骏印务包装有限公司
责任印制：吕　越	开　本：880 mm × 1230 mm　1/32
出 版 人：曾庆宇	字　数：50千字
出版发行：北京科学技术出版社	印　张：4.375
社　址：北京西直门南大街16号	版　次：2024年1月第1版
邮政编码：100035	印　次：2024年4月第2次印刷
ISBN 978-7-5714-3421-2	

定　价：35.00元